À TRÈS **PETITS PAS**

L'archéologie

L'Institut national de recherches archéologiques préventives

L'Institut national de recherches archéologiques préventives (Inrap) a été créé en 2002.
Son rôle est de sauvegarder les vestiges archéologiques en les étudiant. C'est ce que font chaque jour
les 1 800 archéologues qui travaillent à l'Inrap. Car toutes ces traces du passé sont menacées
par la construction de routes, d'autoroutes, de voies ferrées, d'immeubles, de parkings souterrains…
Les archéologues interviennent donc avant les pelles mécaniques et les bulldozers.
Une fois qu'ils ont étudié les vestiges archéologiques (objets de la vie courante, murs,
traces de maisons, squelettes…), les travaux de construction peuvent débuter.
Grâce aux fouilles des archéologues, on en sait plus sur la vie de nos ancêtres,
des plus proches aux plus lointains.

Inrap

www.inrap.fr

Directrice de collection : Claire Laurens
Édition simplifiée de *L'Archéologie à petits pas*, Actes Sud, 2007, 2011
Éditrice : Isabelle Péhourticq assistée de Marine Tasso
Éditrice Inrap : Sandrine Bachmeyer
Directeur de création : Kamy Pakdel
Directeur artistique : Guillaume Berga
Maquette : Christelle Grossin
© Actes Sud, Inrap, 2015
ISBN : 978-2-330-03923-3
Loi 49-956 du 16 juillet 1949 sur les publications destinées à la jeunesse.
Reproduit et achevé d'imprimer en décembre 2014 par l'imprimerie Pollina à Luçon - L70408B
pour le compte des éditions ACTES SUD, Le Méjan, Place Nina-Berberova, 13200 Arles
Dépôt légal 1ʳᵉ édition : janvier 2015

L'archéologie

RAPHAËL DE FILIPPO
Illustrations : ROLAND GARRIGUE

ACTES SUD JUNIOR

Qu'est-ce que l'archéologie ?

C'est l'étude des traces matérielles
laissées par les hommes dans le passé.
On les appelle "vestiges" : ce sont
les objets de la vie quotidienne, les restes
des anciennes constructions, les ossements...

Des origines jusqu'à nos jours

Grâce à ces vestiges, les archéologues peuvent raconter
la **vie des hommes** depuis leur apparition sur la Terre
jusqu'à aujourd'hui.

**Où trouver
des vestiges ?**
Il y en a partout : dans
le sol, dans les grottes,
dans l'eau. Il arrive qu'on
les trouve par hasard.
La grotte de **Lascaux**
a été découverte
en 1940 par des enfants
qui voulaient sauver
leur chien tombé
dans un trou.

QU'EST-CE QUE LA PRÉHISTOIRE ?

L'histoire des hommes avant l'invention de l'écriture,
il y a un peu plus de 5 000 ans, s'appelle la préhistoire.
Elle ne peut être connue que par l'archéologie.

Comment repère-t-on les sites archéologiques ?

Pour trouver des vestiges du passé des hommes, l'archéologue cherche des indices dans les livres anciens aussi bien qu'à la surface du sol.

L'archéologue se documente

Il étudie les **légendes**, les vieux **livres** et les vieilles **cartes** qui le guident dans ses recherches.

Une véritable enquête

L'archéologue cherche, à pied ou en avion, des **indices**
qui signalent la présence d'un site archéologique.
Par exemple, le blé pousse moins haut au-dessus
des vieux murs cachés dans la terre. Au-dessus
d'un ancien fossé, c'est le contraire. Vu du ciel,
on peut voir le plan des anciennes maisons !

LE DIAGNOSTIC ARCHÉOLOGIQUE

Le diagnostic
archéologique
est une opération
qui permet, à l'aide
d'une pelle mécanique,
de vérifier sur le terrain
la présence de vestiges.

Comment se déroule une fouille ?

Souvent l'archéologue passe des journées avec une pelle ou une pioche pour trouver dans le sol des bouts de murs et quelques morceaux de poterie. Mais pas n'importe lesquels !

Ne rien rater

Rien ne doit échapper à son œil d'expert ! Sinon l'information est perdue pour toujours puisque, au fur et à mesure de la fouille, les **couches de terrain** sont enlevées une à une pour dégager les suivantes.

Des outils simples

Les archéologues utilisent les mêmes outils
qu'un maçon ou un jardinier : **pelles**, **pioches**,
bêches, **truelles**. Pour les vestiges délicats,
comme un squelette, on utilise des pinceaux fins
et des instruments de dentiste. Un petit tamis permet
de collecter les objets minuscules (graines, dents).

Enregistrer

À chaque étape, l'archéologue
photographie, dessine
et enregistre sur des **fiches**
tout ce qu'il sort de terre.
Un **plan** donne la position
de chaque objet. Tous
les vestiges portent
un **numéro** qui rappelle
leur provenance exacte.

Qu'est-ce que la stratigraphie ?

La stratigraphie est l'étude des couches archéologiques qui se sont accumulées à travers le temps, de la préhistoire à nos jours.

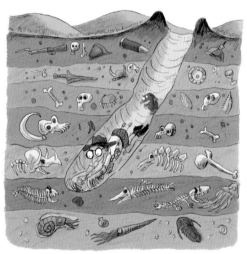

Du plus récent au plus ancien

L'archéologue commence par retirer les couches de terre qui sont immédiatement sous ses pieds. Il continue jusqu'à atteindre les plus profondes. Le principe est simple : les **couches les plus profondes sont les plus anciennes** et elles sont recouvertes par les plus récentes.

Remettre l'histoire à l'endroit

L'archéologue détermine à quel moment de l'histoire appartient chaque couche : le moment de la construction (élever un mur), celui de l'occupation de la maison (les restes d'un repas), ou encore celui où les habitants sont partis (l'effondrement de la toiture).

La datation

Ce sont les objets contenus dans chaque couche qui permettent de dater le site. Un spécialiste examine les morceaux de poteries, les monnaies ou les autres vestiges en métal. Puis il propose une **fourchette de datation**. Par exemple, sur ce dessin, le **poignard**, daté par un spécialiste entre 100 et 80 avant Jésus-Christ, permet de dater de la même époque la couche de terrain où il se trouve et tous les autres objets qui sont dans cette couche.

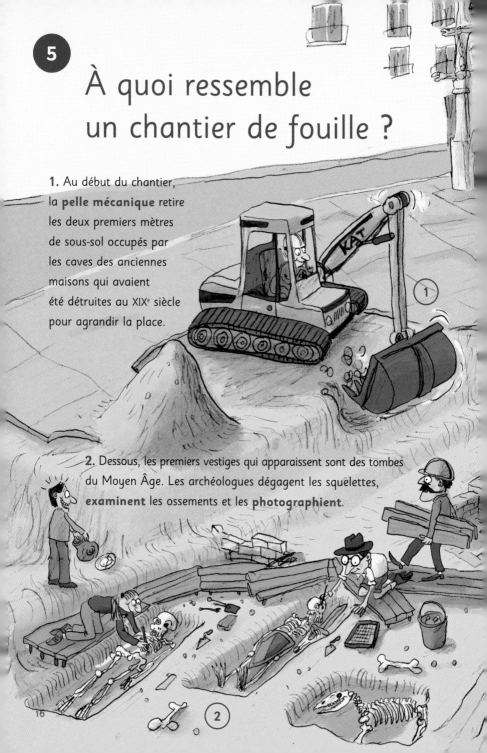

5

À quoi ressemble un chantier de fouille ?

1. Au début du chantier, la **pelle mécanique** retire les deux premiers mètres de sous-sol occupés par les caves des anciennes maisons qui avaient été détruites au XIXe siècle pour agrandir la place.

2. Dessous, les premiers vestiges qui apparaissent sont des tombes du Moyen Âge. Les archéologues dégagent les squelettes, **examinent** les ossements et les **photographient**.

16

Dans cet exemple, la fouille a lieu dans une ville, sur la place de la cathédrale, avant la construction d'un parking souterrain.

3. D'autres archéologues étudient deux maisons de la même époque. Les vases cassés, les monnaies, les os animaux sont placés dans des **sacs numérotés**.

4. Encore plus profondément, une mosaïque représentant un poisson apparaît. Elle décorait le sol d'une maison romaine il y a 2 000 ans. À la fin du chantier, quand les archéologues ont atteint les vestiges les plus anciens de l'époque gauloise, le niveau du terrain est 4 mètres plus bas qu'au début de la fouille.

8 Que nous apprennent les tombeaux ?

①

L'archéologie funéraire s'intéresse aux tombes. Elle étudie les ossements et les objets que celles-ci contiennent.

Des vestiges bien conservés
Parce qu'elles ont été, dès leur construction, mises à l'abri du temps par les vivants, les tombes sont souvent retrouvées intactes. La découverte de bijoux en métaux précieux et d'objets de la vie quotidienne est fréquente.

④

Un long voyage

Dans de nombreuses croyances anciennes, la mort était considérée comme un long voyage qu'il fallait accomplir avec les bagages nécessaires.

1. Dans son tombeau, le pharaon égyptien emportait avec lui tout ce dont il avait besoin lorsqu'il était en vie : nourriture, meubles, bijoux.

2. Les tombeaux étrusques (peuple de l'Antiquité vivant en Italie) imitaient les maisons.

3. Le premier empereur de Chine a protégé son tombeau avec une immense armée de soldats en terre cuite.

4. Un guerrier était souvent enterré avec ses armes.

Que trouve-t-on au fond de l'eau ?

L'archéologue y trouve tout ce que les hommes ont imaginé pour se déplacer sur l'eau, pour la pêche, le commerce, la guerre et la conquête de nouvelles terres.

Des pirogues

Les anciens lits des rivières peuvent renfermer
des embarcations. Les plus vieilles sont des pirogues
faites d'un seul morceau de bois. Elles ont été creusées
il y a 6 000 ans dans des troncs de chênes, au feu
et à la hache de pierre.

Les épaves de bateaux

Les tempêtes et les batailles navales ont provoqué
le **naufrage** de nombreux bateaux dans toutes
les mers du monde. Recouvertes par le sable et la vase
des fonds marins, les épaves sont repérées grâce
à leur cargaison ou à leurs canons en bronze
qui ont résisté à l'eau salée.

DANS LA MÊME COLLECTION :

....

Avec l'Inrap

....

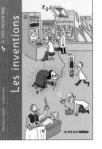